Merci à Renaud pour ses encouragements

et ses précieux conseils.

M.E.

À toutes les questions qui cherchent leur réponse.

K.D.G

© Kaléidoscope 2007

Loi n° 49.956 du 16 juillet 1949 sur les publications

destinées à la jeunesse septembre 2007

Dépôt légal : septembre 2007

Imprimé en Italie

Diffusion l'école des loisirs

www.editions-kaleidoscope.com

Michaël Escoffier

Pourquoi les chauves-souris préfèrent sortir la nuit ?

Illustrations de Kris Di Giacomo

kaléidoscope

Pourquoi les chauves-souris préfèrent sortir la nuit ?

Parce qu'elles adorent faire la fête
jusqu'au petit matin.

DISPARU

Pourquoi les dinosaures ont disparu ?

Parce qu'ils ne supportaient plus
d'être réveillés toutes les nuits
par les chauves-souris.

j'en peux plus !
je m'en vais

Pourquoi
les poissons rouges
tournent en rond ?

Ils s'ennuient
depuis que les dinosaures
sont partis.

Pourquoi les vaches remuent la queue en mangeant ?

Pour divertir les poissons rouges.

Pourquoi les manchots
avancent en file indienne ?

Pour assister eux aussi
au spectacle des vaches.

et un, et deux,
et trois,
et quatre.

Pourquoi les crocodiles
dorment la gueule ouverte ?

Parce qu'il arrive qu'un manchot dérape.

Pourquoi les zèbres n'enlèvent-ils jamais leur pyjama ?

Pourquoi les caméléons rougissent ?

Parce que certains zèbres
enlèvent quand même leur pyjama.

Pourquoi les castors ont la queue plate ?

Parce qu'ils traversent sans attendre
que les caméléons passent au vert.

Pourquoi les chameaux ont deux bosses sur le dos ?

E

1191. SIZE 15
Taille/Grösse 39

VIEW 1

Vista 1
Vue 1
Modell 1

14

13

14

F

1191. SIZE 15
Taille/Grösse 39

VIEW 2

Vista 2
Vue 2
Modell 2

12   12

Parce qu'ils ne se méfient pas assez
des castors.

Pourquoi les dromadaires
roulent leur bosse dans le désert ?

Parce que là-bas au moins ils sont sûrs
de ne pas finir comme les chameaux.

on est pas bien là!?

Pourquoi les mouettes font caca en volant ?

Pour aider les dromadaires
à retrouver leur chemin en plein désert.

Pourquoi les requins nagent sous l'eau ?

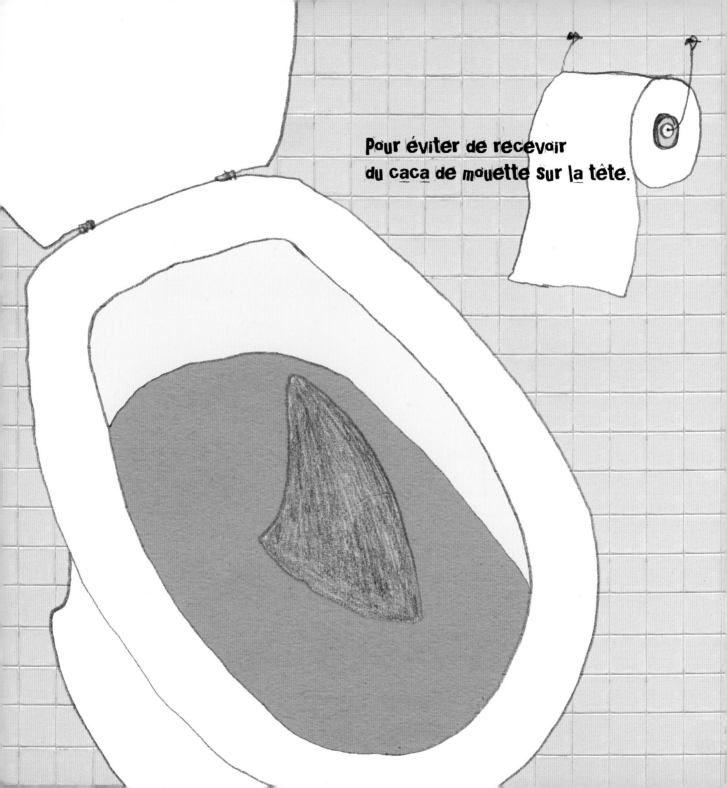

Pour éviter de recevoir
du caca de mouette sur la tête.

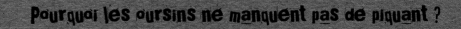
Pourquoi les oursins ne manquent pas de piquant ?

Pour que les requins puissent se curer les dents.

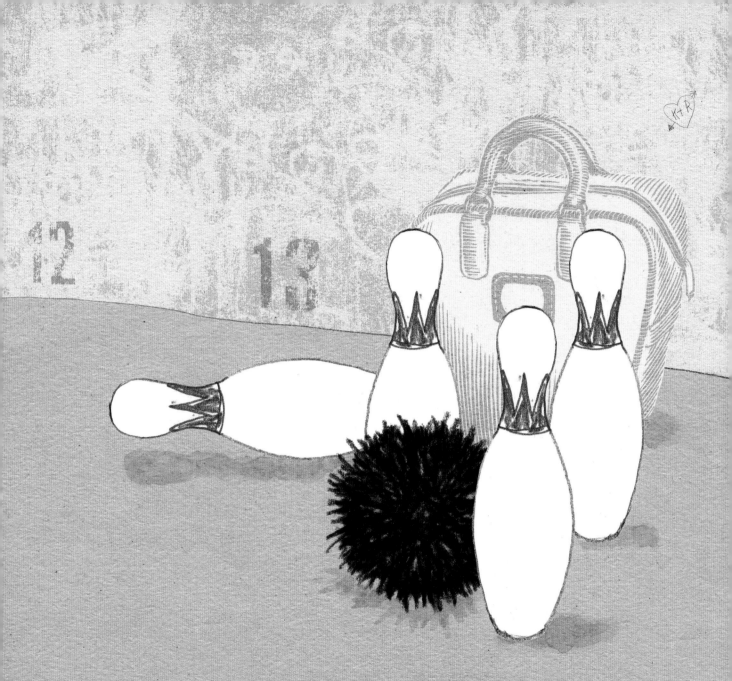

Pourquoi les hérissons se mettent en boule ?

Pour inviter les oursins à danser
toute la nuit au bal des chauves-souris.